中国寓言故事

黑龙江美术出版社

中国寓言故事

ZHONG GUO YU YAN GU SHI

与经典同行系列

孩子眼中的天空永远是蔚蓝的,那里阳光灿烂,白云悠悠;孩子眼中的世界到处是鸟语花香,飞蝶曼舞,情致盎然……一切都是那样清新可爱。童年，一段多么美好的时光，又是一个多么重要的成长阶段。

在这里，我们精心编辑了这套《与经典同行系列》，将它献给正在成长的孩子们，来点缀他们缤纷的童年。在书中，孩子们可以穿过时间的隧道，和古人对话；可以化身为小动物，走进大自然；可以插上科学的翅膀，飞向遥远的太空；还可以做一棵四叶草，去实现童话里人们的美好愿望……书中精美的插图，可以赶走孩子们阅读时的乏味，让他们爱上阅读；形式独特的小版式，也会拓展阅读，引发孩子思考，让他们在阅读中不断成长。

这套丛书将会为孩子们呈现一个奇幻莫测的世界，一个新奇美妙的乐园，一个智慧博学的课堂。希望它们可以伴随孩子们度过一个幸福快乐的童年。

前言

与经典同行系列

关键词：哭笑不得：哭也不是，笑也不是，形容处境尴尬，不知如何是好。
曲：一种酿酒的发酵剂。

按图索骥

xiāng chuán　zài chūn qiū de shí hou　qín guó yǒu yí
相传，在春秋的时候，秦国有一

gè jiào sūn yáng de rén　hěn huì guān chá mǎ　tā gēn jù mǎ
个叫孙阳的人，很会观察马。他根据马

de wài biǎo　jiù néng zhī dào mǎ de hǎo huài　tā hái xiě le
的外表，就能知道马的好坏，他还写了

yì běn shū jiào　xiàng mǎ jīng　gōng rén men yuè dú
一本书叫《相马经》，供人们阅读。

在《相马经》中有这样一段话："额头高高隆起，双目铜钱可比；蹄子大而端正，恰似酒家累曲。"孙阳的儿子拿着《相马经》去找千里马。他出去后，看到一只很大的癞蛤蟆，就带回来对父亲说："我得到一匹好马，跟您书上说的差不多，只是蹄子不那么端正罢了。"孙阳听后，十分生气，却又哭笑不得。他知道自己的儿子非常愚蠢，只好转怒为笑说："只是这匹马喜欢跳，不能用来拉车罢了。"

智慧点击

马：哺乳动物，头小，面部长，耳朵直立，四肢强健，每肢各有一蹄，善跑，尾生有长毛。

老马识途：比喻有经验的人对事情比较熟悉，能起引导作用。

八哥学舌

rén men yòng wǎng bǔ dào bā ge hòu
人们用网捕到八哥后，

biàn xùn liàn tā mó fǎng rén shuō huà   rì jiǔ tiān
便训练它模仿人说话。日久天

cháng bā ge jiù néng gēn rén xué shé le   tā
长，八哥就能跟人学舌了。它

měi tiān diān lái dǎo qù jiù nà me jǐ jù huà
每天颠来倒去就那么几句话，

dàn shì què zì yǐ wéi liǎo bu qǐ   bǎ shéi dōu
但是却自以为了不起，把谁都

bú fàng zài yǎn li
不放在眼里。

yì tiān yì zhī chán zài yuàn zi li
一天，一只蝉在院子里

bù tíng de jiào zhe   bā ge tīng dào chán de jiào
不停地叫着，八哥听到蝉的叫

shēng hòu   biàn duì tā shuō   wèi   xiē huìr
声后，便对它说："喂，歇会儿

xíng bu xíng jiù huì fā chū dān diào nán tīng de
行不行？就会发出单调难听的

叫声，还叫起来没完没了，我会说人话，也不像你那么炫耀。"蝉微微一笑："你能模仿人说话，这固然很好；然而你说的不是自己的话，实际上等于没说；我虽然叫得单调一些，可这些毕竟都是我自己的意思啊！"

八哥听了这席话，满脸通红，羞愧地低下了头。从此以后，八哥再也不跟主人学舌了。

智慧点击

蝉：昆虫，种类很多，雄性腹部有发音器，能连续不断地发出尖锐的声音。

蝉不知雪：蝉活不到冬天，看不到冬天的雪。比喻见识短浅。

关键词: 盼望: 殷切地期望。

筋疲力尽: 形容非常疲劳, 一点儿力气都没有了。

拔苗助长

从前有个农夫,一年春天,他在地里栽了一些禾苗,盼望着能有个好收成。

几天过去了,禾苗还是那么高。他非常着急,心里想: 禾苗长得这么慢可不行,我得想个办法。于是他饭也吃不好,觉也睡不香,终于想出一个办法来。

这天,天刚亮,他就来到

dì li   bǎ hé miáo yì kē yì kē de wǎng shàng bá le yì jiér   jiù zhè yàng tā yì zhí máng huo dào tài yáng
地里，把禾苗一棵一棵地往上拔了一截儿。就这样，他一直忙活到太阳

luò shān cái jīn pí lì jìn de huí dào jiā li
落山，才筋疲力尽地回到家里。

yí jìn jiā mén   tā jiù xīng fèn de gào su
一进家门，他就兴奋地告诉

jiā rén shuō   jīn tiān kě bǎ wǒ lèi huài le   wǒ
家人说："今天可把我累坏了，我

xiǎng le ge bàn fǎ   ràng hé miáo zhǎng gāo le
想了个办法，让禾苗长高了

bù shǎo
不少。"

ér zi yì tīng   jiù pǎo dào tián
儿子一听，就跑到田

li   yí kàn shǎ yǎn le   yuán xiān lù yóu
里，一看傻眼了：原先绿油

yóu de hé miáo quán dōu kū sǐ le
油的禾苗，全都枯死了。

智慧点击

禾：禾苗，特指水稻的植株。
风禾尽起：比喻顺应天意，得到天助。

关键词: 告辞: 辞别。
一言不发: 一句话也不说。

扁鹊治病

biǎn què shì zhàn guó shí qī zhù míng de yī shēng
扁鹊是战国时期著名的医生。

yí cì tā lù guò cài guó
一次他路过蔡国，
bài jiàn cài huán gōng guān chá
拜见蔡桓公。观察
le cài huán gōng yí huìr
了蔡桓公一会儿，
biǎn què shuō jūn wáng yǒu
扁鹊说："君王有
bìng mù qián zhǐ zài tǐ biǎo
病，目前只在体表，
rú guǒ bù jí shí zhěn zhì
如果不及时诊治，
kǒng pà bìng yào shēn rù tǐ
恐怕病要深入体
nèi le cài huán gōng tīng
内了。"蔡桓公听
hòu hěn bù gāo xìng shuō
后很不高兴，说

道："瞎说！我根本就没有什么病。"见蔡桓公不听劝告，扁鹊就告辞出去了。等他走后，蔡桓公说："当医生的就喜欢给没有病的人治病，以此来显示自己医术的高明。"过了十天，扁鹊又去拜见蔡桓公，他说："君王的病发展到肌肉里面去啦，如果再不诊治的话，恐怕还会进一步加深呢！"这次，蔡桓公仍然没有理睬他，扁鹊只好告辞出去了，蔡桓公因此也显得更不高兴了。又过了十天，扁鹊再次来拜见蔡桓公，他说："君王的病发展到肠胃里去了，如不及时治疗还会加深的。"蔡桓公还是没有理会他。再过了十天，扁鹊一看到蔡桓公，什么也没有说便转身走了。蔡桓公不明白扁鹊为什么一言不发就走了，于是，特地派人去问扁鹊。扁鹊说："病在体表，用汤药洗或热敷就能见效；病在肌肉中，用针灸就可以治好；病在肠胃，吃些清火的汤药，也可以治好；如果病入骨髓，那就只能由死神摆布了，人力是无法挽救的了。现在君王的病已经到了骨髓，所以我不再请求为他治疗了。"果然，五天后，蔡桓公全身疼痛，他派人去寻找扁鹊，可扁鹊已逃到秦国去了。不久，蔡桓公就病死了。

智慧点击

骨髓：骨头空腔中柔软像胶的物质。

骨鲠在喉：鱼骨头卡在喉咙里。比喻心里有话没有说出来，非常难受。

关键词：契约：证明出卖、抵押、租赁等关系的文书。
恭候：恭敬地等候。

博士买驴

chuán shuō cóng qián yǒu yí gè dú shū rén　jīng cháng duì bié ren shuō zì jǐ yǒu xué wen　dà jiā yě jiù xìn yǐ
传说从前有一个读书人，经常对别人说自己有学问，大家也就信以

wéi zhēn le　dōu jiào tā　bó shì　ér tā de zhēn míng shí xìng fǎn dào bèi dà huǒr　wàng diào le
为真了，都叫他"博士"，而他的真名实姓反倒被大伙儿忘掉了。

yǒu yí cì　bó shì jiā mǎi lái yì tóu lú　fù guo lú qián zhī hòu　mài lú rén yào xiě yì zhāng zì jù　suàn
有一次，博士家买来一头驴，付过驴钱之后，卖驴人要写一张字据，算

zuò qì yuē　bó shì jué de zhè zhèng shì zì jǐ dà xiǎn shēn shǒu de jǐ huì　biàn dà yáo dà bǎi de zǒu guo lai shuō
做契约。博士觉得这正是自己大显身手的机会，便大摇大摆地走过来说：

zhè ge mài lú de qì yuē ma
"这个卖驴的契约嘛，

yóu wǒ dài bǐ　yí dìng bāo nǐ mǎn
由我代笔，一定包你满

yì　mài lú rén xiè guo bó
意。"卖驴人谢过博

shì　zhàn zài yì páng gōng hòu
士，站在一旁恭候。

yú shì bó shì tí bǐ zài
于是博士提笔在

zhǐ shang huī sǎ qi lai　hěn kuài
纸上挥洒起来，很快

就写满了一张纸。卖驴人高兴地说:"我可以拿走了吗?""不,不,"博士又找来一张纸,挥笔写起来,"你别急,我还没有写到你卖驴的事儿呢!"卖驴人只好继续等候着。博士一共写满了三张纸,才放下笔,擦掉头上的汗水,扬扬自得地说:"拿回家去吧,别人看了一定会称赞的!"卖驴人不认识字,呆呆地望着这三张纸,非常纳闷儿,问道:"卖个驴子需要写这么多吗?"博士轻蔑地说:"你懂什么!快回家去吧!"这时旁边有个识字的老头儿,看了看这三张纸,然后摇摇头说:"契约上怎么竟没有一个'驴'字呀?"博士听了这话后,羞得面红耳赤。

智慧点击

驴:哺乳动物,比马小,耳朵长,胸部稍窄,毛多为灰褐色,尾端有毛。

驴前马后:比喻一切受人支配。

关键词：船帮：船身的侧面。
曹操：东汉末年的文学家、政治家、军事家。

曹冲称象

古时候有个小孩儿叫曹冲。一天，有人送给他的父亲曹操一头大象，许多人都围着它观看。曹操就对大家说："谁能告诉我这头大象究竟有多重？"大家你看看我，我看看你，谁都没有办法。

这时，小曹冲跑了过来，说："我有办法！让人把大象牵到一条大船上，在水没船帮的地方画个记号。然后把大象牵上岸，再往船

21

里装上石头，一直装到船帮没到水里的位置和刚才所画的记号一样时才停止。然后用秤称石头的重量，这就是大象的重量。"

人们听后都伸出了大拇指，夸曹冲是个聪明的孩子。

22

智慧点击

象：哺乳动物，是陆地上现存最大的动物，耳朵大，鼻子长圆筒形，能蜷曲，多有一对又长又大的门牙伸出口外，全身的毛很稀疏，皮很厚。

象齿焚身：象因为有珍贵的牙齿而遭到捕杀。比喻人因为有钱财而招祸。

长竿入城

从前,有一个鲁国人,他很早就来到了城门外,准备进城办事。因为他给亲戚带了一根长竹竿,所以到了城门口,他就犯难了。

他坐在城门外的土堆旁,看看城门,又看看手里的竹竿,皱皱眉,摇摇头,一副无可奈何的样子。有人问他:“你为什么不进城呢?”他回答道:“我拿着这么长的竿子,怎么能进得去呢?”问他的人感到十分好笑,却故意又接着问:“你没有试过,怎么知道竹竿拿不进城呢?”这人回答说:“这还用试吗?城门比竹竿矮一大截儿,城门的宽度又比竹竿窄得多,怎么能拿得进去呢?”说着,他真的站起来,拿着竹竿到城门口横竖比量起来。

围观的人都在窃窃地发笑,人们有意谁也不去点破他,看他到底怎么办。这时,一位风趣的老人走到他身边,一本正经地说:“年轻人,有什么难

24

shì wǒ kě yǐ bāng nǐ ma yí kàn dào shì yí wèi shàng le nián jì de lǎo rén zhè ge lǔ guó rén jué de tā kěn

事,我可以帮你吗?"一看到是一位上了年纪的老人,这个鲁国人觉得他肯

dìng jiàn duō shí guǎng yǒu bàn fǎ bāng zhù zì jǐ yú shì biàn gào su le lǎo rén zì jǐ de kùn nan

定见多识广,有办法帮助自己,于是便告诉了老人自己的困难。

lǎo rén tīng hòu xiào zhe shuō jì rán nǐ xiǎng tīng wǒ de wǒ jiù gěi nǐ chū ge zhǔ yi bǎ zhú gān zhé

老人听后,笑着说:"既然你想听我的,我就给你出个主意,把竹竿折

duàn le nǐ bú jiù kě yǐ jìn chéng le ma nà rén tīng le lǎo rén de huà guǒ rán bǎ zhú gān zhé duàn le rán

断了,你不就可以进城了吗?"那人听了老人的话,果然把竹竿折断了,然

hòu gāo gāo xìng xìng de jìn le chéng

后高高兴兴地进了城。

智慧点击

竿:竹竿,截取竹子的主干而成。

立竿见影:在阳光下把竿子竖起来,立刻就看到影子。比喻立刻见到功效。

关键词：大夫：古代官职，位于卿之下，士之上。
干扰：扰乱；打扰。

楚人学齐语

cóng qián　chǔ guó yǒu ge dà fū　tā xiǎng ràng ér zi xué shuō qí guó huà　yú shì biàn qǐng le yí gè qí guó
从前，楚国有个大夫，他想让儿子学说齐国话，于是便请了一个齐国
rén lái jiāo ér zi　dàn yóu yú zhōu wéi yǒu xǔ duō chǔ guó rén chǎo nào hé gān rǎo　suī rán tiān tiān yòng biān zi chōu
人来教儿子。但由于周围有许多楚国人吵闹和干扰，虽然天天用鞭子抽
dǎ　tā ér zi zuì zhōng hái shi méi yǒu xué huì shuō qí guó huà　hòu lái　zhè ge dà fū bǎ ér zi dài dào qí guó
打，他儿子最终还是没有学会说齐国话。后来，这个大夫把儿子带到齐国
de cūn zi zhù le jǐ nián　jié guǒ tā de ér zi hěn kuài jiù xué huì le shuō qí guó huà　fǎn guò lái　nǐ yào ràng tā
的村子住了几年，结果他的儿子很快就学会了说齐国话。反过来，你要让他
shuō chǔ guó huà　jǐn guǎn tiān tiān dǎ tā　tā yě bú huì shuō le
说楚国话，尽管天天打他，他也不会说了！

智慧点击

鞭：古代兵器，用铁做成，有节，没有锋刃。
鞭辟入里：形容做学问很切实。也形容分析问题透彻，切中要害。

关键词 孵化：卵在一定温度和其他条件下变成幼虫或小动物。

巢：鸟的窝，也称蜂、蚁等动物的窝。

翠鸟筑巢

shù lín zhōng yǒu yì zhǒng niǎo zhǎng de bú dà
树林中，有一种鸟，长得不大，

dǎn zi yě hěn xiǎo yīn tā de yǔ máo wéi qīng lǜ sè suǒ
胆子也很小，因它的羽毛为青绿色，所

yǐ rén men jiào tā cuì niǎo cuì niǎo de yí xīn hěn dà hài
以人们叫它翠鸟。翠鸟的疑心很大，害

pà rén men qù bǔ zhuō tā zǒng shì bǎ cháo zhù zài gāo gāo
怕人们去捕捉它，总是把巢筑在高高

de shù zhī shang dàn děng tā men shēng le dàn yòu pà dàn
的树枝上。但等它们生了蛋，又怕蛋

cóng wō li huá xia lai dǎ pò jiù yòu zào le
从窝里滑下来打破，就又造了

yí gè bǐ jiào dī yì diǎnr de xīn cháo rán
一个比较低一点儿的新巢，然

hòu bǎ dàn bān dào xīn cháo li lái děng dào xiǎo
后把蛋搬到新巢里来。等到小

niǎo fū chu lai le jī ji zhā zhā de yào shí
鸟孵出来了，唧唧喳喳地要食

chī shí tā men jiù gèng jiā xǐ ài xiǎo niǎo
吃时，它们就更加喜爱小鸟

28

了，怕其从巢里跌下来摔
死，马上又做了一个离地较
近的新巢。等到小鸟要学
飞，站在巢边，拍着两个翅
膀，想往外飞时，翠鸟更加
爱它们了，也更怕它们会跌
死，于是便又造个新巢，离地更
近了。这时就是小孩儿也可以很容
易地捉到它们了。

智慧点击

　　翠鸟：鸟，羽毛翠绿色，头部蓝墨色，嘴长
而直，尾巴短。
　　鸟尽弓藏：鸟没有了，弓也就藏起来不用
了。比喻事情成功之后，把曾经出过力的人一
脚踢开。

关键词：哀求：苦苦请求。
争辩：争论；辩论。

东郭先生和狼

从前，有个好心人叫东郭先生。有一天，东郭先生赶着一头毛驴出门去了，驴背上驮着一袋子书。他走着走着，突然，迎面跑来一只受了伤的狼。狼一边哭，一边哀求东郭先生说："好心的先生，求您救救我吧，我正被后面的猎人追赶，要是被他追上了，我就没命了。"

东郭先生看见狼很可怜，就把袋子里的书全都倒了出来，让狼钻了进去，然后扎好袋口，把它放在毛驴背上。

猎人追来了，他问东郭先生："先生，请问您见过一只狼吗？"东郭先生指了指前方，说："狼朝那边跑了。"

猎人离开后，东郭先生把狼放了出来。狼说："先生，您好事做到底，让我吃了你吧，我现在好饿呀！"东郭先生一听吓坏了，说："我好心救了

你的命，你不报答我也就算了，竟然还要吃掉我。"狼才不管这些呢，张开大嘴就向东郭先生扑去，东郭先生吓得赶紧躲到驴子身后。

这时，正好走来一位老农，肩上还扛着一把锄头。东郭先生请他评评理。

老农听东郭先生说完后，对狼说："你这么大的个儿，怎么能钻进这么小的袋子里呢？我不信！""就能，就能！"狼一边争辩着，一边蜷着身子，又钻进了装书的袋子里。

老农和东郭先生赶紧把袋口扎紧，用锄头和木棍一顿猛打，几下子就把狼打死了。

智慧点击

狼：哺乳动物，外形像狗，面部长，耳朵直立，毛呈黄色或灰褐色，尾巴向下垂。昼伏夜出，冬天常聚集成群，性格凶暴。

狼吞虎咽：形容吃东西又猛又急。

东施效颦

传说春秋时越国有个绝色的美女名叫西施,她不仅人长得美,而且勤劳、善良,识大体、顾大局。据说,当年越国被吴国打败后,为了复兴自己的国家,西施自愿来到吴王身边,用美人计使他沉迷。

西施在家乡的时候,父老乡亲们就很喜欢她。西施有心口疼的毛病,每次犯病,她都用

shǒu àn zhù xiōng kǒu jǐn zhòu zhe méi tóu rén men jiàn le dōu
手按住胸口，紧皱着眉头。人们见了，都
shuō xī shī zhòu méi de yàng zi yě hěn hǎo kàn
说西施皱眉的样子也很好看。
lí xī shī jiā bù yuǎn de dì fang yǒu ge zhǎng de
离西施家不远的地方，有个长得
hěn chǒu de gū niang míng jiào dōng shī dōng shī jiàn dà jiā zǒng
很丑的姑娘名叫东施。东施见大家总
kuā xī shī zhǎng de měi hěn xiàn mù jiù xiǎng xué xī shī de
夸西施长得美，很羡慕，就想学西施的
yàng zi kàn jiàn xī shī wǔ zhe xiōng kǒu zhòu zhe méi tóu cóng jiē
样子。看见西施捂着胸口皱着眉头从街
shang zǒu guò tā yě zuò chū méi tóu jǐn zhòu de bìng tài biǎo
上走过，她也做出眉头紧皱的病态表
qíng yǐ wéi zhè yàng jiù měi le shéi zhī dà jiā kàn dào tā
情，以为这样就美了。谁知，大家看到她
nà zhǒng mú yàng fǎn ér gèng jiā tǎo yàn tā le
那种模样，反而更加讨厌她了。

智慧点击

胸：躯干的一部分，在颈和腹之间。
胸有成竹：原指画竹子要在心里有竹子
的形象。后比喻在做事之前已经拿定主意。

对牛弹琴

公明仪是古代有名的音乐家。他的琴弹得非常出色。每当他坐在自家窗口弹奏时，行人常常驻足聆听，邻居们也都从窗口探出头来，听得如醉如痴。

一次，公明仪携琴外出游玩。他坐在牛的旁边，轻舒十指，缓缓地弹了起来。弹了一会儿，他抬头看看牛，见它只管低头吃草，仿佛没听见似的。公明仪以为他刚才弹的曲子还不够动听，又换了首更感人的，弹得也更加认真了。可是牛仍然无动于衷。公明仪不甘心，弹了一首又一首，直弹得手软筋麻。看着那头只对鲜嫩的草感兴趣的牛，他叹了口气，终于明白了：对蠢牛弹琴，不过是白费劲儿罢了！

他懊丧地站起来，打算回去了。谁知，他收拾琴的时候，无意中碰到

了一根琴弦，发出了有点儿像小牛"哞哞"叫的声音。那牛立即停止了吃草，抬起头四面看看，见并没有什么，便摇了摇尾巴，又低头吃草去了。公明仪见了，自嘲道："不是牛蠢，是我自己蠢，弹琴不看对象。对于牛来说，同类的叫声就是最好的音乐，高雅的乐曲它又怎么能听得懂呢？"

智慧点击

弦：弓背两端之间系着的绳状物，用牛筋制成，有弹性；乐器上能振动发声的线，也代指弦乐器。

动人心弦：把心比做琴，拨动了心中的琴弦。形容事物激动人心。

关键词：棋艺：下棋的技艺。
　　　　心不在焉：心思不在这里。

二子学弈

从前，有一个名叫秋的下棋名手，他的棋艺非常高超。秋有两个学生，一起跟他学习下棋。其中一个学生，非常专心，集中精神跟老师学习。另一个学生却不是这样，他认为下棋很容易，用不着那样认真。老师讲解的时候，他虽然也坐在那里，眼睛也好像在看棋子，可是心里却想："现在天空中大概正飞着一只鸿雁，我拉满弓搭上箭把它射下来，美餐一顿该多好啊。"因为他总是这样胡思乱想，老师的讲解一点儿也没听进去。结果，虽然两个学生在一起学习，又是同一个名师传授，但是，他们一个成了

智慧点击

雁：鸟，外形略像鹅，颈和翼较长，足和尾较短，羽毛淡紫褐色，善于游泳和飞行。

沉鱼落雁：鱼见之沉入水底，雁见之降落沙洲。形容女子容貌美丽。

qí yì gāo qiáng de
棋艺高强的
míng shǒu lìng yí ge
名手,另一个
què méi yǒu xué dào
却没有学到
shén me zhēn běn shi
什么真本事。

关键词：觐见：朝见君主。
赫赫：显著盛大的样子。

负荆请罪

zhàn guó shí qī　zhào guó zài lìn xiàng rú
战国时期，赵国在蔺相如

hé lián pō de gòng tóng fǔ zuǒ xià　chéng wéi le
和廉颇的共同辅佐下，成为了

yí gè qiáng shèng de guó jiā
一个强盛的国家。

lìn xiàng rú dāng shàng qīng qián zhǐ bu guò
蔺相如当上卿前只不过

shì zhào guó yí gè huàn guān de mén kè　dì wèi
是赵国一个宦官的门客，地位

bēi jiàn　tā liǎng cì zài wēi nàn guān tóu bù
卑贱。他两次在危难关头不

rǔ shǐ mìng　cuò bài le qín guó de yīn móu
辱使命，挫败了秦国的阴谋，

cóng cǐ yí yuè chéng wéi yì rén zhī xià　wàn
从此一跃成为一人之下、万

rén zhī shàng de shàng qīng　lián pō shì zhào guó de
人之上的上卿。廉颇是赵国的

lǎo jiàng　néng zhēng shàn zhàn　yǒng měng wú dí　céng duō cì
老将，能征善战、勇猛无敌，曾多次

带兵抵御秦国的进攻，立下了赫赫战功。廉颇为人心直口快，喜怒皆形于色。所以，当赵王在大殿上宣布加封蔺相如为上卿时，他便非常不服气。于是，在众人祝贺蔺相如的时候，他一言不发，拂袖而去。

廉颇回到府中，背着手在大堂中来回踱步，对着左右门客大声地说："我是赵国大将，多少次出生入死，几十年来屡立战功才有了今天的地位！蔺相如本是个卑贱的人，只不过敢于冒险，再加上能说会道，竟然职位在我之上。我不甘心啊！"

府中的门客也纷纷附和，为主人鸣不平。这时廉颇对众门客说："我不会轻易放过这小子的。你们传出话去，就说以后我如果见到蔺相如，一

dìng yào hěn hěn de xiū rǔ tā yì fān
定要狠狠地羞辱他一番!"

zài shuō lìn xiàng rú cóng dān rèn shàng qīng de nà
再说蔺相如,从担任上卿的那

yì tiān kāi shǐ jiù chá jué dào lián pō duì zì jǐ de tài
一天开始,就察觉到廉颇对自己的态

du hěn bù yǒu hǎo liào dào tā yǐ hòu huì chù chù wéi nán
度很不友好,料到他以后会处处为难

zì jǐ dàn tā gèng qīng chu guó jiā xiàn zài hái miàn lín zhe
自己,但他更清楚国家现在还面临着

bèi qín guó jìn fàn de wēi xiǎn rú guǒ zì jǐ hé lián pō
被秦国进犯的危险。如果自己和廉颇

bù hé jiāng gěi dí rén yǐ kě chéng zhī jǐ
不和,将给敌人以可乘之机。

suǒ yǐ dāng lìn xiàng rú dé zhī lián pō yào zhǎo
所以,当蔺相如得知廉颇要找

tā má fan shí jiù zuò hǎo le yìng duì de xīn lǐ zhǔn
他麻烦时,就做好了应对的心理准

bèi cóng nà yǐ hòu měi cì dé zhī lián pō yǒu shì yào
备。从那以后,每次得知廉颇有事要

shàng cháo jìn jiàn zhào wáng lìn xiàng rú biàn chēng bìng zài
上朝觐见赵王,蔺相如便称病在

jiā zhè yàng jiù bì miǎn le liǎng rén jiàn miàn de gān gà
家,这样就避免了两人见面的尴尬。

yǒu yì tiān lìn xiàng rú chéng chē wài chū bàn shì
有一天,蔺相如乘车外出办事,

zhèng zǒu zài dà dào shang hū rán tīng dào qián miàn yì shēng
正走在大道上,忽然听到前面一声

mǎ sī jiē zhe chuán lái le zhèn zhèn jí cù de mǎ tí
马嘶,接着传来了阵阵急促的马蹄

声。蔺相如抬头望去,只见廉颇的人马迎头过来。蔺相如急忙命令车夫拐到旁边的岔道儿上,廉颇等人像一股疾风般从大道上扬长而去。面对这种情形,门客们纷纷抱怨。

回到府中,有个门客竟长叹一口气说:"大人,我们之所以不远千里地来投奔您,就是因为仰慕您的英勇气概。现在您的地位在廉颇之上,反

而因为他口出恶言,就处处躲让他,叫我们这些人都感到羞耻。我真想不明白,您这样怕他,究竟是为什么?与其这样,不如让我们回去算了。"

蔺相如等大家发完牢骚,举手示意门客们安静。接着他说:"秦王够威风了吧?可我敢在他的大殿上厉声呵斥他。难道我还会惧怕廉将军不成?你们都知道,秦国之所以不敢举兵侵犯赵国,就是因为惧怕

wǒ hé lián jiāng jūn liǎng ge rén　　wǒ men jiù hǎo bǐ shì zhào wáng de zuǒ yòu shǒu　　rú guǒ zhè liǎng zhī shǒu hù xiāng dǎ

我和廉将军两个人。我们就好比是赵王的左右手,如果这两只手互相打

qǐ jià lai　bié ren dāng xiōng yì quán dǎ lái　　wǒ men jiù háo wú fáng shǒu zhī lì le　　lìn xiàng rú kàn le kàn wéi

起架来,别人当胸一拳打来,我们就毫无防守之力了。"蔺相如看了看围

zuò zài shēn páng de mén kè　yǔ zhòng xīn cháng de shuō dào　　wǒ zhī suǒ yǐ zhè yàng zuò　shì yǐ guó jiā ān wēi wéi

坐在身旁的门客,语重心长地说道:"我之所以这样做,是以国家安危为

zhòng　nǎ lǐ shì pà lián jiāng jūn ne

重,哪里是怕廉将军呢?"

zhè fān huà hěn kuài chuán dào le lián pō de ěr

这番话很快传到了廉颇的耳

zhōng　tā bù jìn wèi zì jǐ guò qù de yán xíng hòu huǐ

中。他不禁为自己过去的言行后悔

bù yǐ　lì jí chì luǒ zhe shàng shēn　bēi fù jīng tiáo

不已,立即赤裸着上身,背负荆条,

bù xíng dào lìn xiàng rú de mén qián rèn cuò

步行到蔺相如的门前认错。

lìn xiàng rú　lián pō liǎng rén jiù cǐ yán guī yú

蔺相如、廉颇两人就此言归于

hǎo　chéng wéi shēng sǐ zhī jiāo

好,成为生死之交。

智慧点击

卿:古时高级官名;君称臣也为卿。

白衣公卿:古时指进士。唐代人极看重进士,宰相多为进士出身,故推重进士为白衣卿相,是说虽是白衣之士,但享有卿相的资望。

关键词：雄壮：气魄、声势强大。
波澜壮阔：比喻声势雄壮浩大。

高山流水

46

古时候，有对好朋友，一个叫俞伯牙，一个叫钟子期。俞伯牙弹得一手好琴，而钟子期则是个懂音乐的行家。

有一次，两人在一起弹琴娱乐。俞伯牙想起了和钟子期登山时的情景，一走神，指尖弹出的乐曲突然变得雄壮高峻。钟子期微闭着双眼，听见琴声突然变得高昂激越，不由得睁开双眼，高声喝彩道："好啊，高峻得像泰山一样。"

俞伯牙见钟子期一下子就听出了自己的琴声所表达的意思，会心一笑，故意又变了个调子，琴声一下子变得波澜壮阔。钟子

智慧点击

琴：一种乐器的统称。
琴棋书画：弹琴、弈棋、写字、绘画。常被用以表示个人的文化素养。

期又喝彩道："好啊，壮阔得像江河一样！"

关键词：鉴定：鉴别和评定事物的真伪和优劣。
雕琢：雕刻；过分地修饰。

和氏之璧

一次，有个名叫卞和的楚国人在楚山中发现一块叫做璞的玉石，便把这块璞拿去献给楚厉王。但楚厉王并不懂这块璞的价值，便请玉匠前来鉴定。谁知，那玉匠看了那块璞玉后竟对楚厉王说："这哪里是一块美玉，分明就是一块破石头嘛！"楚厉王听了这话勃然大怒，立即命令手下人用刀斧砍掉了卞和的左脚。卞和只好忍痛含冤离去。

楚厉王死后，楚武王即位。卞和又带着那块璞进宫去献给楚武王。

楚武王也找了一位玉匠来鉴定那块璞。玉匠仍然说那块璞是一块普通的石头。卞和又因此被砍掉了右脚。

楚武王死了以后，楚文王即位。一天，卞和抱着那块璞来到楚山脚下失声痛哭起来。卞和就这样一连哭了三天三夜。这件事很快就传到了楚文王的耳朵里。

于是，他连忙派人到楚山询问情况。那差官见了卞和以后问道："天下受砍脚之刑的人很多，唯独你如此地悲恸不已，这到底是为什么呀？"卞

和回答说："我并不是因为脚被砍断才这样悲恸，我痛心的是一块宝玉却被人说成是烂石头。"

差官回去后将卞和的话原原本本地告诉了楚文王。楚文王立刻令玉匠用凿子把璞的表层敲掉。果然像卞和所说的那样，里面露出了宝玉。楚文王又命玉匠把宝玉雕琢成璧，并给它取名为"和氏璧"。

50

智慧点击

璧：古代的一种玉器，扁平，圆形，中间有个小孔。

白璧无瑕：洁白的美玉上面没有一点儿小斑点。比喻人或事物完美无缺。

猴子捞月

zài yí piàn dà sēn lín li   yǒu hǎo
在一片大森林里，有好
duō kě ài de hóu zi   yì tiān wǎn shang
多可爱的猴子。一天晚上，
zhè xiē hóu zi men zài yì qǐ wán shuǎ   tā
这些猴子们在一起玩耍，他
men cóng yì kē shù shang dàng dào lìng yì kē
们从一棵树上荡到另一棵
shù shang wánr   de kāi xīn jí le   tā
树上，玩儿得开心极了！他
men dàng ya dàng ya   lái dào le hé biān
们荡呀荡呀，来到了河边
de yì kē dà shù shang   hé shuǐ jìng jìng
的一棵大树上。河水静静
de liú tǎng zhe   yìng chū tiān shàng míng liàng
地流淌着，映出天上明亮
de yuè liang
的月亮。
yì zhī xiǎo hóu zi dōng chǒu chou
一只小猴子东瞅瞅、

西望望，突然看到河里月亮的影子。他大呼小叫地冲猴子们喊道："不好了，不好了，月亮掉到河里了。我们快把它捞出来吧！"

猴子们都同意了，一个猴子先爬上大树，抓紧树枝，然后倒垂下来抓住另一只猴子的两条腿。这样越来越长，很快就碰到了河里的月影。可最底下的猴子刚要把"月亮"捧上来，"月亮"一下子就不见了，他大叫道："不好了，月亮不见了。"过了一会儿，河水平静了，月影又出来了，猴子们很高兴，要捞"月亮"，可是一捞，"月亮"又不见了。最底下的猴子正要喊，这时最上面的猴子说道："你们快看，月亮在天上呢！"

猴子们赶忙抬头，果然，皎洁的月亮就挂在空中，正冲着他们微笑呢！

智慧点击

腿：人和动物躯体的下部，用来支持身体和行走的部分；某些器物上像腿一样起支撑作用的部分。

就棍打腿：比喻乘便或顺势行事。

关键词：龇牙咧嘴：形容凶狠或疼痛难忍的样子。
神气：得意、傲慢的样子。

狐假虎威

在茂密的大森林里，一只饥饿的老虎逮住了一只狐狸。老虎张开大嘴就要把狐狸吃掉。

"慢着！"狐狸虽然很害怕，但还是装出一副很神气的样子说："你知道我是谁吗？我可是天帝派来管理百兽的兽王，你要是吃了我，天帝是绝不会放过你的。"

老虎有点儿不相信，心想：这家伙又瘦

又小，怎么会是兽王呢？狐狸见老虎有些迟疑，就说："如果你不相信，就跟在我后面，咱们到森林里走一趟，看看动物们见到我害怕不害怕。"

老虎被狐狸说动了，答应跟他走一趟。

狐狸得意扬扬，昂着头，大模大样地走在前面。

老虎不知是计，瞪着两只眼睛，一步不落地紧跟在后面。

森林里的小动物们玩儿得正高兴，忽然听到树上的小鸟儿报信说老虎来了。他们扭头一看，只见狐狸神气十足地走在前面，后面跟着一只龇牙咧嘴的老虎，他们吓得四处逃窜。

狐狸仗着老虎的势力耍足了威风，可老虎还以为动物们是害怕狐狸呢，就把狐狸的话当真了，再也不敢吃他了。

智慧点击

兽：一般指有四条腿的、全身长毛的哺乳动物；比喻野蛮。

飞禽走兽：飞翔的禽鸟，奔跑的野兽。泛指鸟类和兽类。

囫囵吞枣

从前有个好事的人，一天，他参加朋友的聚会，大家边吃边聊，他大发感慨地说："吃梨对牙齿很有好处，但吃多了会伤脾；枣能补脾健胃，可惜吃多了却会损伤牙齿。"一个愚笨的年轻人听到这话，想了好久，说："那我吃梨的时候，光用牙齿嚼，不把果肉往肚里咽，它就伤不了我的脾；吃

zǎo de shí hou　jiù bǎ tā zhěng gè tūn xia qu　zhè yàng jiù bú huì sǔn shāng wǒ de yá chǐ　zhè shí zhuō zi shang
枣的时候，就把它整个吞下去，这样就不会损伤我的牙齿。"这时桌子上

zhèng hǎo yǒu yì pán zǎo　tā ná qǐ yì kē zǎo jiù yào zhí jiē tūn xia qu　dà jiā pà tā yē dào　jiù quàn tā shuō
正好有一盘枣，他拿起一颗枣就要直接吞下去。大家怕他噎到，就劝他说：

qiān wàn bié tūn　qiǎ zài hóu lóng li duō wēi xiǎn a　yǒu rén jiàn le　jī xiào tā shuō　nǐ zhè zhēn shi hú lún
"千万别吞，卡在喉咙里多危险啊！"有人见了，讥笑他说："你这真是囫囵

tūn zǎo a
吞枣啊！"

智慧点击

牙：人和高等动物咬切、咀嚼食物的器官，由坚固的骨组织和釉质构成。

咬牙切齿：形容极端仇视或痛恨。也形容把某种情绪或感觉竭力抑制住。

画蛇添足

cóng qián　chǔ guó yǒu ge guì zú　jì guo zǔ zong yǐ hòu　shǎng gěi qián lái bāng máng de mén kè　yì hú jiǔ

　从前，楚国有个贵族，祭过祖宗以后，赏给前来帮忙的门客一壶酒。

mén kè men hù xiāng shāng liang shuō　zhè hú jiǔ dà jiā fēn zhe hē bú gòu　yí gè rén hē zé yǒu yú　zhè yàng ba

门客们互相商量说："这壶酒大家分着喝不够，一个人喝则有余。这样吧，

我们各自在地上画条蛇，谁先画好，谁就喝这壶酒。"其中有一个人最先把蛇画好了，他端起酒壶正要喝，发现别人还在埋头画着呢，于是他便得意忘形地左手拿着酒壶，右手继续画蛇，说："我还能给它添上脚呢。"可是没等他把蛇脚画完，另一个人已经把蛇画完了。那人把酒壶抢了过去，说："蛇本来是没有脚的，你怎么能给它添上脚呢！"说罢，便把壶中的酒喝了下去。这个给蛇添脚的人虽然先画好蛇，最终却失掉了到嘴的那壶酒。

智慧点击

蛇：爬行动物，身体圆而细长，有鳞，没有四肢。种类很多，有的有毒。

打草惊蛇：打草惊了草里的蛇。原比喻惩罚了甲而使乙有所警觉。后多比喻采取机密行动时做法不谨慎，反而使对方有所戒备。

关键词： 规定：对某一事物作出关于方式、方法或数量、质量的决定；所规定的内容。
制止：强迫使停止；不允许继续行动。

击鼓戏民

chūn qiū shí qī chǔ guó yǒu
春秋时期，楚国有
ge guī dìng yù dào le dí qíng
个规定：遇到了敌情，
jiù jī gǔ zhào jí lǎo bǎi xìng lái
就击鼓召集老百姓来
shǒu chéng
守城。
　　yǒu yì tiān chǔ lì wáng
　　有一天，楚厉王
hē zuì le jiǔ xī li hú tú de
喝醉了酒，稀里糊涂地
nái qǐ gǔ chuí jiù qiāo lǎo bǎi xìng
拿起鼓槌就敲。老百姓
tīng dào le gǔ shēng huāng huāng
听到了鼓声，慌慌
zhāng zhāng de gǎn lái shǒu chéng chǔ
张张地赶来守城。楚
lì wáng lián máng pài rén qù zhì
厉王连忙派人去制

zhǐ bìng yào pài qù de rén zhuǎn gào shuō　　dà wáng hē zuì le jiǔ xī li hú tu de ná qǐ gǔ chuí qiāo qiao shì

止，并要派去的人转告说："大王喝醉了酒，稀里糊涂地拿起鼓槌敲敲，是

tóng dà jiā nào zhe wánr de　　lǎo bǎi xìng tīng le yǐ hòu shí fēn shēng qì　　yí gè gè bù gāo xìng de huí jiā

同大家闹着玩儿的。"老百姓听了以后，十分生气，一个个不高兴地回家

le guò le jǐ ge yuè hòu zhēn de yǒu dí rén lái rù qīn shí chǔ lì wáng jí máng jī gǔ fā chū jǐng bào lǎo

了。过了几个月后，真的有敌人来入侵时，楚厉王急忙击鼓发出警报，老

bǎi xìng yǐ wéi zhè cì yòu shì chǔ lì wáng nào zhe wánr de yīn ér biàn méi yǒu rén qù shǒu chéng le

百姓以为这次又是楚厉王闹着玩儿的，因而便没有人去守城了。

智慧点击

　　鼓：打击乐器，多为圆筒形或扁圆形，中间空，一面或两面蒙着皮革。

　　鼓唇弄舌：振动嘴唇，拨弄舌头。形容凭口舌挑拨、煽动或进行游说。

纪昌学射

从前，有个叫纪昌的人，他跟著名的射手飞卫学射箭。飞卫在教他射箭前，对他说："你应该先学会不眨眼，然后才能谈到学射箭。"

于是，纪昌回到家里，仰面躺在妻子的织布机下面，一双眼睛瞪着一上一下的脚踏板。这样练了两年之后，就是锥子尖儿刺到他的眼眶上，他的眼睛也不眨一下了。

纪昌把自己的这个学习成绩告诉了飞卫。飞卫说："这还不行，你还得锻炼眼力才行。你要能够把一个很小的东西看得很大，把一个很细微的东西看得很清楚，达到了这个程度后，你再来告诉我。"

纪昌回家以后，便用一根牛尾巴上的毛拴上一个虱子，挂在窗户上，面朝南，目不转睛地看着它。过了十天，他就把虱子渐渐地看得大了

起来；三年之后，他眼里的虱子就像车轮一样大，再看稍大的东西，就像小山一样了。于是，纪昌就用燕国出产的牛角做成的弓，北方出产的蓬竹做成的箭杆射那虱子，箭射飞了虱子，而吊着虱子的牛尾巴毛却完好无损。

纪昌把这件事告诉了飞卫。飞卫高兴得手舞足蹈，他拍着胸脯说："射箭的妙处你已经学到手了！"

智慧点击

锥：锥子；形状像锥子的东西；用锥子或锥子形的工具钻。

立锥之地：插锥尖的一点地方。形容极小的一块地方。也指极小的安身之处。

关键词：自由自在：不受约束。
残酷：凶狠冷酷。

精卫填海

tài yáng shén yán dì yǒu yí gè nǚ ér
太阳神炎帝有一个女儿

jiào nǚ wá tā fēi cháng xǐ huan dà hǎi shèn
叫女娃，她非常喜欢大海，甚

zhì huàn xiǎng zhe yǒu yì tiān zì jǐ néng biàn chéng
至幻想着有一天自己能变成

yì zhī hǎi ōu zì yóu zì zài de zài dà hǎi
一只海鸥，自由自在地在大海

shang fēi xiáng
上飞翔。

zhè tiān nǚ wá yòu xiàng wǎng cháng yí
这天，女娃又像往常一

yàng jià zhe yì tiáo xiǎo chuán dào bì bō wàn lǐ
样，驾着一条小船到碧波万里

de dà hǎi shang yóu wán nǚ wá zhèng zài hǎi
的大海上游玩。女娃正在海

shang huá chuán wán shuǎ tiān sè tū rán biàn le
上划船玩耍，天色突然变了，

guā qǐ le kuáng fēng xià qǐ le bào yǔ yì
刮起了狂风，下起了暴雨，一

pái pái de hǎi làng xiàng yí zuò zuò xiǎo shān   pī tóu gài liǎn de xiàng tā yā lái   yí gè jù làng yí xià zi jiù bǎ
排排的海浪像一座座小山,劈头盖脸地向她压来。一个巨浪一下子就把

chuán nòng fān le   měi lì de xiǎo nǚ wá bèi wú qíng de hǎi shuǐ yān mò le
船弄翻了,美丽的小女娃被无情的海水淹没了。

nǚ wá de líng hún huà chéng le yì zhī niǎo   míng zi jiào jīng wèi   jīng wèi fàng qì le shēng qián xiǎng yào zì yóu
女娃的灵魂化成了一只鸟,名字叫精卫。精卫放弃了生前想要自由

zì zài fēi xiáng de yuàn wàng   tā xiàn zài zhǐ yǒu yí gè niàn tou   bǎ yān sǐ zì jǐ de dà hǎi tián píng   tā xiàn zài
自在飞翔的愿望,她现在只有一个念头:把淹死自己的大海填平!她现在

shì duō me hèn duó qù zì jǐ shēng mìng de cán kù wú qíng de dà hǎi ya
是多么恨夺去自己生命的残酷无情的大海呀!

每天一大早，精卫就飞到很远很远的山上，衔起一根小树枝或一块小石头，然后她飞呀飞呀，飞到大海上空，投下小树枝或小石头，还来不及喘上一口气，她又继续去衔树枝或小石头了。

就这样，精卫一天天地努力着，一些人看到精卫每天这样飞来飞去，忍不住嘲笑她："你想用树枝和小石头填平大海，简直是在做梦，还是趁早死了这份心吧！"

精卫毫不动摇，仍然日复一日，年复一年地填海。最终，汹涌的大海被无畏的精卫感动了，平日里，它很少再波涛汹涌，而是呈现出一片风平浪静的安宁景象。

智慧点击

海：大洋靠近陆地的部分，有的大湖也叫海。

海阔天空：像大海一样辽阔，像天空一样无边无际。形容大自然的广阔。比喻言谈、议论等漫无边际，没有主题，毫无拘束。

关键词：自言自语：自己一个人低声嘀咕。
哄堂大笑：形容全屋子的人同时大笑。

刻舟求剑

zhàn guó shí qī　　yǒu yí gè chǔ guó rén zǒng shì suí shēn xié dài zhe yì bǎ bǎo jiàn
战国时期，有一个楚国人总是随身携带着一把宝剑。

yì tiān　　zhè wèi chǔ guó rén dā chéng yì tiáo dù chuán guò jiāng qu　　dù chuán xíng dào jiāng zhōng　　hū tīng　　pū
一天，这位楚国人搭乘一条渡船过江去。渡船行到江中，忽听"扑
tōng　yì shēng　　chǔ guó rén bù xiǎo xīn jiāng nà bǎ bǎo jiàn huá luò dào jiāng li qù le　　yí wèi hǎo xīn de dù kè quàn
通"一声，楚国人不小心将那把宝剑滑落到江里去了。一位好心的渡客劝
zhè wèi chǔ guó rén gǎn jǐn tiào xià jiāng qu dǎ lāo　　zhè wèi chǔ guó rén xiào zhe yáo yao tóu　　bù huāng bù máng de shuō
这位楚国人赶紧跳下江去打捞，这位楚国人笑着摇摇头，不慌不忙地说：
wǒ zì yǒu miào fǎ　　tā ná le yì bǎ xiǎo dāo　　zài chuán xián shang jiàn diào xià qu de dì fang　kè le yí dào shēn
"我自有妙法！"他拿了一把小刀，在船舷上剑掉下去的地方，刻了一道深
shēn de jì hao　zì yán zì yǔ de shuō　　wǒ de jiàn shì cóng zhèr　　diào xia qu de　　rán hòu tā zhàn qǐ shēn zhāo
深的记号，自言自语地说："我的剑是从这儿掉下去的！"然后他站起身，招
hu chuán jiā jì xù xíng chuán　　yí wèi huì qián shuǐ de qīng nián yào bāng tā xià shuǐ dǎ lāo　　yě bèi tā xiào zhe xiè
呼船家继续行船。一位会潜水的青年要帮他下水打捞，也被他笑着谢
jué le
绝了。

dù chuán zài jiāng shang xíng le hěn jiǔ　　zhōng yú dào le àn biān　　zhè wèi chǔ guó rén cái cóng róng bú pò de tuō
渡船在江上行了很久，终于到了岸边。这位楚国人才从容不迫地脱
le yī fu　cóng chuán xián biān tā suǒ kè de jì hao nà　lǐ tiào xià shuǐ qu　　tā zài shuǐ zhōng lāo lái lāo qù　zěn me
了衣服，从船舷边他所刻的记号那里跳下水去。他在水中捞来捞去，怎么

也捞不到那把剑，他浮出水面惊讶地说："我的剑明明是从这儿掉下去的，怎么找不到了呢？"

同船的渡客见他这副模样儿，全都哄堂大笑起来。那位会潜水的青年更是笑疼了肚子，他说道："渡船已经走了这么远，而掉在水中的剑是不会走的，怎么能刻舟求剑呢？你岂不是太糊涂了吗？"

智慧点击

舟：船，水上的主要运输工具。

同舟共济：坐一条船，共同渡河。比喻团结互助，同心协力，战胜困难。也比喻利害相同。

关键词：漫长：长得看不见尽头的（时间、道路等）。
扁担：放在肩上挑东西或抬东西的工具，用竹子或木头制成，扁而长。

夸父追日

很久很久以前，北方的冬天既寒冷又漫长。在这里的一座高山上，住着一个叫夸父的巨人。他一抬脚，能跨过一座山；一举手，能提起一道岭。

在一个漫长的冬夜里，夸父突发奇想，他决定追赶太阳，让温暖多留一会儿。

第二天早晨，太阳刚一露脸，夸父就用扁担挑着干粮，迈开长腿开始追赶太阳。

整整跑了一天，又大又红的太阳就在眼前了。夸父伸开双臂，要去拥抱太阳。

可是太阳喷射出来的火焰把夸父烤得口干舌燥，于是夸父就伏下身子去喝黄河的水，几口就把黄河水喝干了。

72

之后,夸父又喝干了渭河的水,但还是觉得渴。路边的一位老人告诉他,北方有个大湖,那里的水很多,怎么喝也喝不完。夸父听后就挑着扁担向北方的大湖走去,可刚走到半道儿,就渴死了。

夸父倒下后,他的扁担变成了一片桃林。夸父虽然没有追上太阳,但他却留下了一片桃林,这使后来经过这里的人们都可以吃上几个水蜜桃解渴。

智慧点击

太阳:银河系的恒星之一,体积是地球的130万倍,是太阳系的中心天体,地球和其他行星都围绕着它旋转并从它那里得到光和热。

日新月异:每天都在更新,每月都有变化。形容发展或进步迅速,不断出现新事物、新气象。

关键词： 不学无术：没有学问，没有能力。

煞有介事：好像真有这回事似的，多指大模大样，好像有什么了不起。

滥竽充数

zhàn guó shí qī   qí guó yǒu yí wèi nán guō xiān sheng   yóu yú tā bù xué wú shù   yòu bù qiú shàng jìn   yīn
战国时期，齐国有一位南郭先生，由于他不学无术，又不求上进，因
cǐ nòng dào jǐ hū méi yǒu bàn fǎ hùn fàn chī de dì bù
此弄到几乎没有办法混饭吃的地步。

qí guó de guó jūn qí xuān wáng xǐ huan tīng jí tǐ chuī yú   kě shì yuè duì de rén yuán méi yǒu nà me duō   yú
齐国的国君齐宣王喜欢听集体吹竽，可是乐队的人员没有那么多，于
shì nán guō xiān sheng biàn mào chōng yuè shī hùn jìn yuè duì   tā ná zhe yú   zuǒ kàn yòu kàn   mó fǎng bié ren de yàng zi
是南郭先生便冒充乐师混进乐队。他拿着竽，左看右看，模仿别人的样子
fàng zài kǒu biān   shà yǒu jiè shì de chuī zòu   qí shí gēn běn méi yǒu fā chū shēng yīn   wèi qí xuān wáng yǎn zòu de shí
放在口边，煞有介事地吹奏，其实根本没有发出声音。为齐宣王演奏的时
kè dào le   sān bǎi míng yuè shī yì tóng chuī xiǎng yú   shēng yīn hóng liàng   qì shì hěn dà   xiǎng chè wáng gōng nèi wài
刻到了，三百名乐师一同吹响竽，声音洪亮，气势很大，响彻王宫内外。

qí xuān wáng tīng le zhī hòu fēi cháng gāo xìng   gěi sān bǎi míng yuè shī hěn fēng hòu de dài yù   nán guō xiān sheng
齐宣王听了之后非常高兴，给三百名乐师很丰厚的待遇。南郭先生
yòu jīng yòu xǐ   tā cóng cǐ bù jǐn jiě jué le chī fàn wèn tí   ér qiě shēng huó de ān dìng fù yù   jiù zhè yàng   tā
又惊又喜，他从此不仅解决了吃饭问题，而且生活得安定富裕。就这样，他
zài yuè duì li píng ān de hùn le xǔ duō nián
在乐队里平安地混了许多年。

hòu lái qí xuān wáng sǐ le   qí mǐn wáng jì chéng le wáng wèi   zhè wèi xīn rèn de guó jūn yě fēi cháng xǐ
后来齐宣王死了，齐湣王继承了王位。这位新任的国君也非常喜

75

huān tīng chuī yú, nán guō xiān sheng tīng hòu hěn gāo xìng, yǐ wéi néng jì xù hùn xia qu, shéi zhī qí mǐn wáng bù xǐ huan

欢听吹竽,南郭先生听后很高兴,以为能继续混下去。谁知齐湣王不喜欢

tīng hé zòu, piān piān yào yuè shī men yí gè yí gè dān dú yǎn zòu gěi tā tīng, yú shì yuè shī men gè gè jǐn zhāng de

听合奏,偏偏要乐师们一个一个单独演奏给他听。于是乐师们个个紧张地

liàn xí yuè qǔ, zhǔn bèi zài qí mǐn wáng miàn qián dà xiǎn shēn shǒu, zhǐ yǒu nán guō xiān sheng yì rén jīng huāng shī cuò,

练习乐曲,准备在齐湣王面前大显身手。只有南郭先生一人惊慌失措,

yīn wèi tā zhè jǐ nián lái gēn běn lián yí gè yīn yě méi chuī zòu guo, zhè xià zài yě wú fǎ làn yú chōng shù le, sān

因为他这几年来根本连一个音也没吹奏过,这下再也无法滥竽充数了。三

shí liù jì zǒu wéi shàng cè, nán guō xiān sheng zhǐ hǎo qiāo qiāo de liū zǒu le。

十六计走为上策,南郭先生只好悄悄地溜走了。

智慧点击

年:时间的单位,公历一年是地球绕太阳一周的时间;科举时代一起登科的关系也称年。

年富力强:年纪轻,精力旺盛。

关键词：罕见：不容易见到。
庙堂：庙宇；朝廷。

鲁侯养鸟

有一天，鲁国的城郊飞来一只罕见的鸟。它的头抬起时，身高达八尺，样子很漂亮，像极了传说中的凤凰。有人说："这是只海鸟。"猎人们知道鲁侯喜欢养鸟，就捉住海鸟献给鲁侯。鲁侯唯恐海鸟死去，就把它视为贵宾，在庙堂里恭恭敬敬地设酒宴招待海鸟，下令高级厨师每天给海鸟准备丰盛的酒席，自己则守候在海鸟身旁，诚心诚意地请海鸟享用美食，还叫乐队演奏高雅的乐曲，让海鸟欣赏。可是那只海鸟却被吓得神魂颠倒，不吃也不喝，三天后死去了。鲁侯伤心极了，但自己错在哪里，他始终想不明白。

78

智慧点击

神：宗教指天地万物的创造者和统治者；迷信的人指神仙或能力、德行高超的人死后的精灵。

神不守舍：魂魄离开了身体。比喻失魂落魄，心神不安定。

关键词： 爱不释手：非常喜欢，不舍得放手。
扬长而去：大模大样地离开的样子。

买椟还珠

chūn qiū shí qī chǔ guó yǒu ge rén dé dào yì kē zhēn zhū tā xiǎng mài chu qu wèi le mài ge hǎo jià qián
春秋时期，楚国有个人得到一颗珍珠，他想卖出去，为了卖个好价钱，
yú shì jiù xiǎng chū le yí gè bàn fǎ tā yòng mù lán xiāng mù zuò le yí gè xiá zi zhè yàng yì lái nà kē zhēn
于是就想出了一个办法。他用木兰香木做了一个匣子。这样一来，那颗珍
zhū jiù xiǎn de tè bié míng guì yú shì zhǔ rén biàn gāo gāo xìng xìng de jiāng tā ná dào shì chǎng shang qù mài
珠就显得特别名贵，于是主人便高高兴兴地将它拿到市场上去卖。

zhè shí yǒu ge zhèng guó rén zǒu guo lai
这时有个郑国人走过来。
tā yí kàn dào zhè zhī piào liang de mù xiá zi
他一看到这只漂亮的木匣子，
lì kè bèi xī yǐn zhù le tā huā le xǔ duō
立刻被吸引住了。他花了许多
qián mǎi xià zhè zhī mù xiá zi ná zài shǒu
钱买下这只木匣子，拿在手
li zuǒ kàn yòu kàn ài bú shì shǒu tā
里左看右看，爱不释手。他
kàn le bàn tiān zhè cái dǎ kāi mù xiá
看了半天，这才打开木匣
zi jiāng lǐ miàn de zhēn zhū qǔ chu
子，将里面的珍珠取出

lái mài zhǔ yǐ wéi tā yí dìng huì xǐ ài nà kē
来。卖主以为他一定会喜爱那颗
zhū zi rán ér wàn wàn méi yǒu xiǎng dào tā jìng rán
珠子,然而万万没有想到,他竟然
jiāng zhū zi huán gěi le mài zhǔ zhǐ tí zhe mù xiá
将珠子还给了卖主,只提着木匣
zi yáng cháng ér qù
子扬长而去。

智慧点击

珍珠:某些软体动物的贝壳内产生的圆形颗粒,多为乳白色或略带黄色,有光泽。

珠圆玉润:像珠子一样圆,像玉石一样光润。比喻歌声婉转优美或文字流畅明快。

关键词： 歃血：古代举行盟会时，嘴唇涂上牲畜的血，表示诚意。

拖沓：形容做事拖拉；不爽利。

毛遂自荐

zhàn guó shí qī zhào guó de píng yuán jūn   míng jiào zhào shèng   chǔ guó de chūn shēn jūn   qí guó de mèng cháng
战国时期赵国的平原君（名叫赵胜）、楚国的春申君、齐国的孟尝
jūn hé wèi guó de xìn líng jūn bèi bìng chēng wéi   zhàn guó sì jūn zǐ   tā men gāo jū xiàng wèi qì dù fēi fán shàn
君和魏国的信陵君被并称为"战国四君子"。他们高居相位，气度非凡，善
yú nà xián
于纳贤。

gōng yuán qián   nián   qín guó dà jiàng bái qǐ shuài bīng gōng dǎ zhào guó   jié guǒ qín jūn dà huò quán shèng   liǎng
公元前260年，秦国大将白起率兵攻打赵国，结果秦军大获全胜。两
nián hòu   qín guó yòu yào dà jǔ jìn gōng zhào guó de dū chéng hán dān   zhè xià kě jí huài le zhào wáng   tā lì kè pài
年后，秦国又要大举进攻赵国的都城邯郸。这下可急坏了赵王，他立刻派
píng yuán jūn zhào shèng zuò wéi shǐ zhě   xiàng chǔ guó qiú jiù
平原君赵胜作为使者，向楚国求救。

zhào shèng jué dìng xuǎn   míng yǒu yǒng yǒu móu de mén kè qián wǎng chǔ guó   dàn shǒu xià mén kè shù qiān rén   zhēn
赵胜决定选20名有勇有谋的门客前往楚国。但手下门客数千人，真
zhèng suàn de shàng shì wén wǔ shuāng quán zhě jìng còu bu qí   rén   zhè kě bǎ zhào shèng gěi nán zhù le   zhèng zài zhè
正算得上是文武双全者竟凑不齐20人。这可把赵胜给难住了。正在这
shí yǒu ge jiào máo suì de rén zì wǒ tuī jiàn   zhào shèng duì máo suì háo wú yìn xiàng biàn wèn   xiān sheng zài wǒ mén
时，有个叫毛遂的人自我推荐。赵胜对毛遂毫无印象，便问："先生在我门
xià jǐ nián le   sān nián le   máo suì huí dá dào   xiān sheng zài wǒ mén xià dāi le sān nián zhī jiǔ yě méi yǒu
下几年了？""三年了。"毛遂回答道。"先生在我门下待了三年之久，也没有

人称赞、推举过你,可见你没什么本领,还是留下吧!"赵胜冷冷地说。

　　毛遂十分不服气,与赵胜争辩起来。最后,赵胜决定给毛遂一个机会,便让他一同去楚国。另外的十九个门客也都笑毛遂不自量力。

　　赵胜一行人到了楚国,游说工作做得非常不顺利。他们向楚王阐述了联合抗秦的重要性,但楚王仍拿不定主意。

　　毛遂十分恼火,按着佩剑走上台阶说:"联合抗秦的利害关系一句话便能够定夺,没想到大王却是如此地拖沓!"

　　楚王见毛遂竟如此傲慢无理,便怒斥道:"你算什么人?还不退下去?我和你的主人讲话,与你何干?"

　　毛遂说道:"大王斥责我,就是依仗着楚国人多势众。但现在我与您相距不到十步,您的性命完全操纵在我的手里。"毛遂说话咄咄逼人,楚王再也不敢小看他了。

　　随后,毛遂话锋一转,又大赞楚国地大物博、兵多将广。毛遂对楚王说:"凭借楚国的实力是完全可以称霸的,您怎么心甘情愿地臣服于秦国呢?"毛遂又说:"一个小小的白起,竟能率数万之众攻打楚国,竟敢火烧夷陵，毁掉楚国宗庙，羞辱楚国的祖先（事发于公元前278年），这是楚国的奇耻大辱啊！现在你我两国联合抗秦，其实是为楚国雪耻啊！"

楚王听了毛遂的一席话，终于下定决心出兵抗秦。于是，楚王和赵胜等一行人歃血为盟。回国后，毛遂得到了赵胜的重用。

智慧点击

剑：古代兵器，长条形，一端尖，两边有刃，安有短柄。

剑拔弩张：剑拔出来了，弓张开了。原形容书法笔力遒劲。后多形容气势逼人，或形势紧张，一触即发。

关键词：风尘仆仆：比喻旅途的劳累。

诸侯：古代帝王统治下的列国君主的统称。

南辕北辙

战国时期，魏王想发兵攻打赵国的都城邯郸。魏国大夫季梁听说后，立刻从半路上返回来，衣服顾不得换，脸也顾不得洗，匆忙来见魏王。魏王看他这样风尘仆仆、慌慌张张地赶来，觉得很奇怪，便问："你怎么走到半路就回来了？难道有什么特别要紧的事吗？"

季梁说："是啊，这次我从外地回来，在太行山下看见这样一个人，他驾着一辆马车朝北驶去，但却告诉我说：'我打算到楚国去。'我对他说：'您到楚国去，为什么不朝南走反而朝北走呢？难道您不知道楚国在南边吗？'他回答说：'没关系，我的马好，跑得快！'我说：'您的马虽然好，可是这不是去楚国的路呀！'他又说：'不怕，我带的路费多。'我说：'您的路费多又有什么用呢，这确实不是去楚国的路呀！'他还坚持说：'我的车夫赶

车的本领高。'而实际上，他的这些条件越好，如果朝北走，离楚国反而会越来越远！"

魏王听后，觉得十分好笑，就说："天下哪有这么糊涂的人呀！"季梁接着说："现在，您的志向是要建立霸业，想当诸侯的首领，一举一动都应慎重考虑。可是您却倚仗国家强大、军队精锐，而用攻打赵国的办法，来扩大地盘，抬高威望。您这样攻打别国的次数越多，离您的愿望就会越来越远。这不正像那个人要去楚国而朝北走一样吗？"

智慧点击

车：陆地上有轮子的运输工具，是利用轮轴旋转的机具。

车水马龙：车像流水，马像游龙。形容来往车马很多，连续不断。

关键词：解剖：为了研究人体或动植物体各器官的生理构造，用特制的刀、剪把人体或动植物体剖开。

神乎其神：神秘奇妙到了极点。

庖丁解牛

战国时期，魏国的国君魏惠王，有一次去看魏国著名的厨师庖丁解剖牛的场面。庖丁解剖牛的时候，他的手、脚、肩膀、膝盖的动作和刀的响声，同音乐一样有节奏。他毫不费力地把牛的骨头和肉分割开来，手起刀落，干净利索。魏惠王看后十分惊叹、佩服，便问他："你的手艺怎么这样高啊？"庖丁答道："其实，这没有什么奇怪的，因为我对牛的肉和骨头的结构已经很熟悉了。开始，我眼中看见的，都是一头一头完整的牛。学了三年以后，我看到的就不是一头整牛了。哪里是关节，哪里是筋骨，从哪里下刀，需要多大力气，我全都心中有数。"

魏惠王觉得庖丁说得神乎其神，就问道："你使的这把刀子一定磨得很快吧？"庖丁笑笑说："一般宰牛人用的刀，一个月就得换一把，因为他们

的刀刃经常碰到骨头。宰牛的能手可以一年换一把刀,因为他们只用刀来割肉。可是我这把刀,已经用了十九年,解剖了几千头牛,还像新刀一样锋利。其实,刀刃非常薄,而肉和骨头中间有一条缝儿,要比刀刃宽得多,把这样薄的刀刃插进去,肉就一块一块落下来。不过,碰到错综复杂的结构,我总是认认真真,不敢马虎,动作很慢,下刀很轻,聚精会神,小心翼翼。"魏惠王听后,点头说:"说得好,从你的话里我学到了很多有益的东西。"

92

智慧点击

牛:哺乳动物,身体大,趾端有蹄,头上有一对角,尾巴尖端有长毛。

牛头马面:迷信传说中阎王手下的两个鬼卒,一个头像牛,一个头像马。比喻各种阴险丑恶的人。

其父善游

从前，有个人过江时，看见一个人正拉着一个小孩儿，要把他投到江里去，孩子吓得大声哭叫，手紧紧地抓着那个人不放开。围观的人很多，他们不解地问那个人："为什么要把这么小的孩子往江里扔呢？那人回答说："我之所以把这个孩子往江里扔，是因为他父亲会游泳，而且水性很好，因此他的水性肯定也不错！"旁观的人一听，忙阻止了他。一个人责备他说："他

de fù qīn huì yóu yǒng nán dào tā jiù yí dìng huì yóu yǒng ma xiàng zhè yàng bàn shì hé chǔ lǐ wèn tí jiǎn zhí shì
的父亲会游泳，难道他就一定会游泳吗？像这样办事和处理问题，简直是

huāng táng tòu dǐng nà rén yì tīng yě jué de zì jǐ yú chǔn jí le máng fàng xià nà ge xiǎo háir huī liū liū
荒唐透顶！"那人一听，也觉得自己愚蠢极了，忙放下那个小孩儿，灰溜溜

de pǎo le
地跑了。

智慧点击

江：大河；或指长江。

江河日下：江河的水一天天地向下流。比喻情况一天天地坏下去。

关键词：遮天避日：遮住了天空，挡住了太阳。形容权势大，欺上瞒下。
不伦不类：不像这一类，也不像那一类，形容不成样子或不规范。

齐奄给猫起名

从前，有个名叫齐奄的人，家里养了一只猫，他自认为珍奇，逢人就说他养的是一只"虎猫"，经常邀请客人来家观赏。

一天，有几个客人来观赏后，都说这是一只世上罕见的猫。

其中一个客人说：

lǎo hǔ gù rán yǒng měng dàn bù rú lóng yǒu shén wēi qǐng gǎi míng jiào lóng māo ba lìng yí ge kè rén yòu shuō
"老虎固然勇猛，但不如龙有神威，请改名叫龙猫吧。"另一个客人又说：

lóng de shén wēi suī rán chāo guò hǔ dàn lóng yào zài tiān shang fēi téng bì xū jià yún yún zài lóng shàng bù rú gǎi
"龙的神威虽然超过虎，但龙要在天上飞腾，必须驾云，云在龙上，不如改

míng jiào yún māo ba
名叫云猫吧。"

zhàn zài tā páng biān de yí gè kè rén duì tā shuō yún wù zhē tiān
站在他旁边的一个客人对他说："云雾遮天

bì rì yì gǔ fēng biàn bǎ tā chuī sàn le yún xiǎn rán dǐ bu guò fēng hái
蔽日，一股风便把它吹散了，云显然抵不过风，还

96

是叫风猫吧。"又一个客人也提出了自己的见解，说："大风刮起来，高墙可以阻挡，风哪能比得上墙呢？请叫墙猫吧！"最后一个客人摇摇头，对齐奄说："高墙虽然坚固，就是怕老鼠穿洞，看来墙是敌不过老鼠的，我看叫鼠猫最合适。"

　　同乡一个老人听了齐奄给猫起名这件事，觉得很可笑。他不屑一顾地说："哼！捕老鼠的就是猫嘛！猫就是猫，为什么要故弄玄虚，把它叫成虎猫、龙猫、云猫、风猫、墙猫、鼠猫呢？取了这样不伦不类的名字，不就把猫本来的面貌掩盖起来了吗？"

智慧点击

猫：哺乳动物，面部略圆，躯干长，耳壳短小，眼大，瞳孔随光线强弱而缩小放大，四肢较短，掌部有肉质的垫，行动敏捷，能捕鼠。

猫鼠同眠：猫同老鼠睡在一起。比喻官吏失职，包庇下属干坏事。也比喻上下狼狈为奸。

关键词: 谨慎：做事小心翼翼，不敢贸然行事。
放肆：（言行）轻率任意，毫无顾忌。

黔驴之技

chuán shuō cóng qián guì zhōu yí dài méi yǒu lǘ zi　yǒu ge hào qí de rén　yòng chuán cóng wài dì yùn lái yì tóu
传说从前贵州一带没有驴子，有个好奇的人，用船从外地运来一头
máo lǘ　máo lǘ gāng bèi yùn lái　zàn shí méi yǒu shén me yòng chu　nà rén jiù bǎ tā fàng zài shān jiǎo xià　shān zhōng
毛驴。毛驴刚被运来，暂时没有什么用处，那人就把它放在山脚下。山中
de lǎo hǔ fā xiàn le zhè tóu máo lǘ　tā kàn jiàn máo lǘ gè zi hěn gāo dà　bù zhī dào tā dào dǐ yǒu duō dà běn
的老虎发现了这头毛驴，它看见毛驴个子很高大，不知道它到底有多大本
lǐng　gǎn dào fēi cháng shén qí　xīn li yǒu xiē hài pà　yú shì biàn duǒ zài shù lín li tōu tōu guān kàn
领，感到非常神奇，心里有些害怕，于是便躲在树林里偷偷观看。
　　guò le hǎo yí zhèn zi　lǎo hǔ zǒu chū shù lín　zhú jiàn jiē jìn máo lǘ　xiǎo xīn jǐn shèn de dǎ liang tā　dàn
　　过了好一阵子，老虎走出树林，逐渐接近毛驴，小心谨慎地打量它，但
hái shi méi kàn chū tā jiū jìng shì ge shén me dōng xi　yǒu yì tiān　máo lǘ hū rán dà jiào yì shēng　lǎo hǔ xià le
还是没看出它究竟是个什么东西。有一天，毛驴忽然大叫一声，老虎吓了
yí dà tiào　jí máng táo zǒu　duǒ de yuǎn yuǎn de　tā yǐ wéi máo lǘ yào chī diào zì jǐ　fēi cháng hài pà　kě guò
一大跳，急忙逃走，躲得远远的，它以为毛驴要吃掉自己，非常害怕。可过
le jǐ tiān　lǎo hǔ yòu zǒu guo lai guān kàn　fā xiàn máo lǘ bìng méi yǒu shén me tè bié de běn shi　máo lǘ de jiào
了几天，老虎又走过来观看，发现毛驴并没有什么特别的本事。毛驴的叫
shēng　lǎo hǔ yě tīng guàn le　yuè lái yuè shú xī le　yú shì tā yòu xiàng máo lǘ kào jìn xiē　zài tā qián qián hòu
声，老虎也听惯了，越来越熟悉了。于是它又向毛驴靠近些，在它前前后
hòu zhuàn lái zhuàn qù　dàn hái shi bù gǎn xiàng máo lǘ pū guo qu
后转来转去，但还是不敢向毛驴扑过去。

hòu lái lǎo hǔ yǔ máo lú āi de gèng jìn gèng jiā dà dǎn fàng sì le bìng wǎng máo lú shēn shang lián pèng

后来,老虎与毛驴挨得更近,更加大胆放肆了,并往毛驴身上连碰

dài jǐ gù yì chōng zhuàng hé mào fàn tā máo lú zhōng yú bèi rě nù

带挤,故意冲撞和冒犯它。毛驴终于被惹怒

le yú shì jiù yòng tí zi qù tī lǎo hǔ zhè

了,于是就用蹄子去踢老虎。这

yì lái lǎo hǔ fǎn dào gāo xìng le xīn xiǎng

一来,老虎反倒高兴了,心想:

yuán lái nǐ zhǐ yǒu zhè diǎnr běn shi a yú

原来你只有这点儿本事啊!于

shì lǎo hǔ dà hǒu yì shēng tiào qi lai měng pū guo

是,老虎大吼一声,跳起来猛扑过

qu yǎo duàn le máo lú de hóu lóng bǎo cān yí dùn rán

去,咬断了毛驴的喉咙,饱餐一顿,然

hòu xīn mǎn yì zú de zǒu le

后心满意足地走了。

智慧点击

蹄:马、牛、羊、猪等牲畜生在趾端的坚硬的角质物;也指具有这种角质物的脚。

马不停蹄:比喻一刻也不停留,一直前进。

关键词：匈奴：我国古代民族。战国时游牧于燕、赵、秦以北地区，东汉时分裂为南北两部，北匈奴在 1 世纪末为汉所败，西迁，南匈奴附汉。
安慰：使心情安适。

塞翁失马

　　古时候，有一个老头儿，因为住在边境的一个城镇，人们都叫他塞翁。有一天，塞翁家的马突然跑到塞外去了。邻居们都替他感到惋惜，前来安慰他不必太着急，年龄大了，要注意身体。可是塞翁一点儿也不着急，反而高兴地说："丢失了一匹马没有关系，怎么知道这不会成为一件好事呢？"邻居听了塞翁的话，心里觉得好笑。过了一段时间，那匹马不但自己跑了回来，并且还带了一匹匈奴的骏马回来。邻居们知道后，都赶来向他庆贺。可是塞翁并不为此感到高兴，他说："这算不了什么，虽然白白得到了一匹好马，怎知道这不会变成一件坏事呢？"邻居们以为他故作姿态，纯属老年人的狡猾，心里明明高兴，却有意不说出来。

　　塞翁的儿子很喜欢骑马，一天，他骑上那匹匈奴的骏马出去游玩，他

gāo xìng de yǒu xiē guò huǒ　dǎ mǎ fēi bēn　bù xiǎo xīn cóng mǎ shang shuāi xia lai　bǎ tuǐ shuāi duàn le　lín jū men
高兴得有些过火,打马飞奔,不小心从马上摔下来,把腿摔断了。邻居们
zhī dào zhè ge bú xìng de xiāo xi hòu　zì rán yòu qián lái ān wèi　kě shì sài wēng bìng bù nán guò　tā shuō　zhè
知道这个不幸的消息后,自然又前来安慰。可是塞翁并不难过,他说:"这
méi shén me　hái zi de tuǐ suī rán shuāi duàn le　zěn me zhī dào zhè bú huì chéng wéi yí jiàn hǎo shì ne　lín jū
没什么,孩子的腿虽然摔断了,怎么知道这不会成为一件好事呢?"邻居
men yòu jué de tā zài hú yán luàn yǔ　tā men xiǎng bu chū　shuāi duàn tuǐ huì dài lái shén me fú qi
们又觉得他在胡言乱语,他们想不出,摔断腿会带来什么福气。

bù jiǔ　xiōng nú dà jǔ rù qīn　biān sài shang de qīng zhuàng nián dōu bèi zhēng qù dāng bīng　dà bù fen rén sǐ
不久,匈奴大举入侵,边塞上的青壮年都被征去当兵,大部分人死
zài le zhàn chǎng shang　sài wēng de ér zi què yīn wèi shāng le tuǐ　bù néng qù dāng bīng dǎ zhàng　hé fù qīn yì qǐ
在了战场上。塞翁的儿子却因为伤了腿,不能去当兵打仗,和父亲一起
bǎo quán le xìng mìng
保全了性命。

智慧点击

兵:兵器;军人;军队;指军事或战争。
兵多将广:兵将众多。形容军队人员多,
兵力强大。

三人成虎

战国时期，魏国和赵国订立了友好盟约。魏王要把儿子送到赵国的都城邯郸去做人质抵押，他派大臣庞葱陪同前往。庞葱担心魏王不信任自己，临走之前就对魏王说：“大王，如果有一个人对您说，大街上来了一只老虎，您相不相信？”魏王回答：“我不相信，老虎怎么会跑到大街上来呢？”庞葱接着问：“如果有两个人对您说，大街上来了一只老虎，您相不相信？”魏王回答说：“如果两个人都这么说，我就有些半信半疑了。”庞葱又问：“如果有三个人对您说，大街上跑来了一只老虎，您相不相信？”魏王回答道：“如果大家都这么说，我只好相信了。”

庞葱说：“您想，老虎不会跑到大街上来，这是人人皆知的事情。只是因为三个人都这么说，大街上有老虎才成为真的了。邯郸离我们魏国的

104

dū chéng dà liáng bǐ wáng gōng lí dà jiē yuǎn de duō
都城大梁，比王宫离大街远得多，
ér qiě bèi hòu yì lùn wǒ de rén kě néng hái bù zhǐ sān
而且背后议论我的人可能还不止三
ge qǐng dà wáng zǐ xì kǎo chá wèi wáng diǎn tóu shuō
个，请大王仔细考察。"魏王点头说：
wǒ zhī dào jiù xíng le nǐ fàng xīn
"我知道就行了，你放心
qù ba páng cōng yú shì péi tóng wèi
去吧！"庞葱于是陪同魏
wáng de ér zi dào le hán dān
王的儿子到了邯郸。
bù jiǔ guǒ rán yǒu hěn duō
不久，果然有很多
rén duì wèi wáng shuō páng cōng de huài
人对魏王说庞葱的坏

huà ér wèi wáng què wàng le páng cōng de huà xiāng xìn le tā men bù jiǔ jiù bú zài xiāng xìn páng cōng le
话，而魏王却忘了庞葱的话，相信了他们，不久就不再相信庞葱了。

智慧点击

虎：一种大型的猫科哺乳动物，统称老虎。毛黄色，有黑色横纹，性凶猛，常夜间出动，捕食兽类，有时伤人。

藏龙卧虎：指隐藏着未被发现的人才，也指潜藏着杰出的人才。

神龟托梦

相传春秋时期，有一天半夜里，宋元君梦见一个人披头散发，窥视着他的房门，并且对他说："我从名叫宰路的深潭中来，是奉江神的差遣到河神那里办事去的，不料半路上被一个叫余且的渔夫捉去了。"宋元君醒来以后，叫人为他占卜这个梦。

占卜的人回答说："这是神龟啊。"宋元君问道："渔夫当中有个叫余且的吗？"左右的臣僚们说："有。"宋元君说："传令余且，前来朝见。"第二天，余且来朝见宋元君。宋元君问他："你打鱼时打到了什么呀？"余

且回答说:"我打到一只白龟,它的直径长达五尺。"宋元君命令余且说:"把这只龟献上来。"龟被献上来了,宋元君既想杀死它,又想养着它,心中犹豫不决,于是又去卜卦。占卜的人回答说:"杀死那只龟用来作占卜用,肯定会吉利。"于是,宋元君令人从两边把龟破开,又掏空了龟的内脏,然后用它来进行占卜,结果占卜了七十二次,一次也没有出差错。孔子听说这件事后,感慨地说:"这只神龟有本领在宋元君面前显梦,却没有本领逃避余且的网,它的智慧能够做到七十二次占卜不出差错,却无法逃避破壳刳肠之灾。可见,智谋再深的人也有糊涂的时候,神机妙算的人也有料想不到的事情!世界上即使有最高的智谋,也敌不过万人的谋划啊!"

智慧点击

龟:爬行动物,体形长圆而扁,背部和腹部有硬甲,头、尾和四肢能缩入甲壳内。多生活在水边,生命力强,寿命很长。

龟年鹤寿:相传龟、鹤寿有千百之数,用于比喻人之长寿。或用做祝寿之词。

关键词：查问：查究追问或调查询问。
　　　　顽石：未经斧凿的石块、坚石，也比喻恶人。

水滴石穿

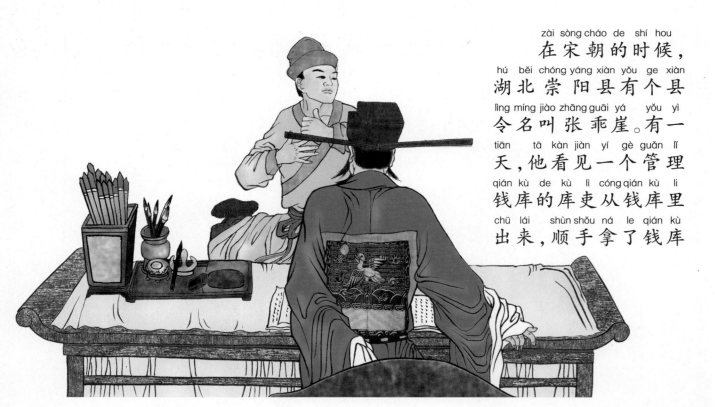

zài sòng cháo de shí hou
在宋朝的时候，
hú běi chóng yáng xiàn yǒu ge xiàn
湖北崇阳县有个县
lìng míng jiào zhāng guāi yá yǒu yì
令名叫张乖崖。有一
tiān tā kàn jiàn yí gè guǎn lǐ
天，他看见一个管理
qián kù de kù lì cóng qián kù li
钱库的库吏从钱库里
chū lái shùn shǒu ná le qián kù
出来，顺手拿了钱库

一文钱装进了自己的口袋。他把那个库吏叫来查问，那个库吏爽快地承认那一文钱是钱库的。张乖崖要打他，他不服气。于是张乖崖提笔在案卷上批道："一日一钱，千日千钱。绳锯木断，水滴石穿。"意思是说：一天偷一文钱，看上去算不了什么，但一千天就是一千文；绳子虽然很钝，但是日子久了，也可以把木头锯断，水从上往下滴虽然没有多大力量，但时间长了也可以把顽石滴穿。那个库吏还想狡辩，张乖崖一气之下就把他给杀了。

智慧点击

石：构成地壳的矿物质硬块。
一石二鸟：扔一颗石子打到两只鸟。比喻做一件事情得到两样好处。

关键词：警告：提醒，使警惕；对有错误或不正当行为的个人、团体、国家提出
告诫，使认识所应负的责任；对犯错误者的一种处分。
弹弓：用弹力发射弹丸等的弓。古代可用做武器。

螳螂捕蝉

112

chūn qiū shí qī wú wáng yào gōng dǎ chǔ guó tā yǐ jīng xià dìng jué xīn yú shì biàn jǐng gào shēn biān de dà
春秋时期，吴王要攻打楚国。他已经下定决心，于是便警告身边的大
chén men shuō shéi yào shi gǎn quàn zǔ wǒ wǒ jiù chǔ sǐ tā wú wáng de mén kè zhōng yǒu yí gè nián qīng rén
臣们说："谁要是敢劝阻我，我就处死他。"吴王的门客中有一个年轻人，
xiǎng qù quàn zǔ dàn yòu bù gǎn zhí shuō yú shì tā huái li dài zhe dàn gōng zài wú wáng de hòu yuán li zhuàn lái zhuàn
想去劝阻但又不敢直说，于是他怀里带着弹弓，在吴王的后园里转来转
qù lù shui zhān shī le tā de yī fu yě háo bú zài hu tā zhè yàng yì lián zhuàn le sān ge zǎo chen wú wáng
去，露水沾湿了他的衣服，也毫不在乎。他这样一连转了三个早晨。吴王
kàn jiàn tā zhè yàng jué de fēi cháng qí guài yú shì jiù wèn tā nǐ zǎo chen pǎo dào huā yuán li lái gàn shén me
看见他这样，觉得非常奇怪，于是就问他："你早晨跑到花园里来干什么？
hé kǔ ràng lù shui bǎ yī fu zhān shī chéng zhè ge yàng zi ne zhè ge nián qīng de mén kè huí dá shuō nín kàn
何苦让露水把衣服沾湿成这个样子呢？"这个年轻的门客回答说："您看，
zhè ge yuán zi li yǒu yì kē shù shù shang yǒu yì zhī chán zhè zhī chán gāo gāo zài shàng yōu xián de jiào zhe zì
这个园子里有一棵树，树上有一只蝉。这只蝉高高在上，悠闲地叫着，自
yóu zì zài de hē zhe lù shui kě shì tā què bù zhī dào yǒu zhī táng láng zài tā de shēn hòu ne táng láng bǎ shēn zi
由自在地喝着露水，可是它却不知道有只螳螂在它的身后呢。螳螂把身子
cáng zài yǐn mì de dì fang zhǐ xiǎng qù zhuō chán dàn tā què bù zhī dào yǒu yì zhī huáng què zhèng zài tā de shēn biān
藏在隐秘的地方，只想去捉蝉，但它却不知道有一只黄雀正在它的身边
ne huáng què shēn cháng bó zi xiǎng zhuō táng láng què bù zhī dào zài tā xià miàn yǒu rén zhèng ná zhe dàn gōng miáo zhǔn
呢；黄雀伸长脖子想捉螳螂，却不知道在它下面有人正拿着弹弓瞄准

tā ne zhè sān ge dòng wù dōu lì qiú dé dào tā men yǎn qián de lì yì què méi yǒu kǎo lǜ dào tā men shēn hòu yǐn
它呢。这三个动物都力求得到它们眼前的利益,却没有考虑到它们身后隐

fú zhe de wēi xiǎn a wú wáng tīng hòu huǎng rán dà wù mǎ shàng shuō nǐ jiǎng de hěn yǒu dào lǐ a yú
伏着的危险啊。"吴王听后恍然大悟,马上说:"你讲得很有道理啊!"于

shì tā jiù dǎ xiāo le jìn gōng chǔ guó de niàn tou
是,他就打消了进攻楚国的念头。

智慧点击

螳螂:昆虫,全身绿色或土黄色,头呈三角形,触角呈丝状,胸部细长,有两对翅,前腿呈镰刀状。捕食害虫,对农业有益。

螳螂奋臂:也说螳臂当车。比喻做自己做不到的事情,必然失败。

屠龙之技

gǔ shí hou yǒu yí gè rén
古时候,有一个人

míng jiào zhū píng màn   tā xiǎng xué
名叫朱平漫。他想学

yì mén yì bān rén dōu bú huì de
一门一般人都不会的

tè shū jì shù   yú shì bǎ jiā li
特殊技术,于是把家里

de dōng xi quán bù mài diào chū
的东西全部卖掉,出

mén bài shī xué yì qù le
门拜师学艺去了。

sān nián yǐ hòu   zhū píng màn
三年以后,朱平漫

xué wán le   jì shù hěn gāo xìng de huí dào le jiā
学完了技术,很高兴地回到了家

xiāng   rén men guān xīn de wèn tā   zhè sān nián shí jiān nǐ xué huì le shén me gāo
乡。人们关心地问他:"这三年时间你学会了什么高

chāo de shǒu yì a   zhū píng màn jiāo ào de huí dá shuō   wǒ xué huì le zhuān
超的手艺啊?"朱平漫骄傲地回答说:"我学会了专

mén shā lóng de jué jì   jiē zhe   tā jiù kuā yào qǐ zì jǐ shā lóng de běn shi
门杀龙的绝技!"接着,他就夸耀起自己杀龙的本事。

kě shì rén men duì tā shuō   nǐ zhǎng wò le shā lóng de zhè tào běn lǐng guǒ rán shì liǎo bu qǐ de jué
　　可是,人们对他说:"你掌握了杀龙的这套本领,果然是了不起的绝

jì kě shì nǎ lǐ yǒu shén me lóng ràng nǐ tú shā ne
技,可是,哪里有什么龙让你屠杀呢?

jīng dà jiā zhè me yì shuō   zhū píng màn zhè cái huǎng rán dà wù gǎn dào zì jǐ huā le zhè me duō qián xīn
　　经大家这么一说,朱平漫这才恍然大悟,感到自己花了这么多钱,辛

xīn kǔ kǔ de xué lái de nà tào běn lǐng què gēn běn méi yǒu dì fang shǐ yòng
辛苦苦地学来的那套本领,却根本没有地方使用。

116

智慧点击

龙:我国古代传说中的一种神异动物,身体长,有鳞,有角,有脚,能走,能飞,能游泳,能兴云降雨;古代用龙作为帝王的象征。

龙飞凤舞:形容书法笔势有力,灵活舒展。也形容山势蜿蜒雄壮,也作贬义,形容字迹潦草。

挖井得一人

sòng guó yǒu yí hù xìng dīng de rén jiā　yīn
宋国有一户姓丁的人家，因

wèi méi yǒu jǐng　měi tiān dōu děi pài yí gè rén dào
为没有井，每天都得派一个人到

yuǎn chù qù yòng chē lā shuǐ　hòu lái　dīng jiā rén
远处去用车拉水。后来，丁家人

zì jǐ dǎ le yì yǎn jǐng　zhè xià biàn kě
自己打了一眼井，这下便可

yǐ téng chū nà ge yùn shuǐ de rén lái
以腾出那个运水的人来

gàn bié de shì qing le
干别的事情了。

dīng jiā rén féng rén biàn shuō　　zhè xià kě hǎo le　　wǒ jiā dǎ le yì yǎn jǐng　dé le yí gè rén　　suí hòu
丁家人逢人便说:"这下可好了,我家打了一眼井,得了一个人!"随后

zhè jiàn shì yī chuán shí　shí chuán bǎi　dào chù dōu zài chuán shuō dīng jiā dǎ jǐng wā chū le yí gè huó rén　zhè jiàn
这件事一传十,十传百,到处都在传说丁家打井挖出了一个活人。这件

shì zhōng yú chuán dào le sòng guó guó jūn nà lǐ　　tā pài rén dào dīng jiā qù chá wèn　dīng jiā rén dá dào　　wǒ jiā
事终于传到了宋国国君那里,他派人到丁家去查问。丁家人答道:"我家

shì huò dé le yí gè rén de láo lì　kě bìng bú shì cóng jǐng li wā dé yí gè huó rén ya
是获得了一个人的劳力,可并不是从井里挖得一个活人呀!"

智慧点击

井:从地面向下挖掘而成的取水的深洞。
井井有条:形容有条有理,丝毫不乱。

关键词：豺狼：豺与狼，皆凶兽。也比喻凶残的恶人。

劝告：拿道理劝人，使人改正错误或接受意见，也指劝人的话。

亡羊补牢

从前有个牧羊人，他白天出去放牧，晚上就把羊关在圈里。

有一天，他放羊回来，发现羊圈里少了好几只羊。

邻居们赶来，看到羊圈有个破洞，就对他说："快点儿把破洞补上吧！否则就会有豺狼钻进来偷羊吃的。"

牧羊人不以为然，没听邻居们的劝告，心想：反正羊已经不见了，再补羊

quān yòu yǒu shén me yòng
圈又有什么用？

jǐ tiān hòu mù yáng rén fā xiàn yáng yòu shǎo le jǐ zhī tā hěn hòu huǐ méi yǒu tīng lín jū men de huà shāng
几天后，牧羊人发现羊又少了几只，他很后悔没有听邻居们的话，伤

xīn de kū le qǐ lái
心地哭了起来。

lín jū men zài cì quàn tā xiàn zài xiū bǔ yáng juàn hái lái de jí zhè yàng yǐ hòu jiù bú huì zài diū
邻居们再次劝他："现在修补羊圈还来得及，这样，以后就不会再丢

yáng le
羊了。"

智慧点击

羊：哺乳动物，有家养的和野生的。肉和奶可以吃，皮可制革，毛是纺织原料，骨、角等可做工业原料。

饿虎扑羊：像饥饿的老虎扑向食物一样。比喻动作猛烈而迅速。

120

关键词：陶醉：很满意地沉浸于某种思想活动或境界里面。
　　　　浅陋：见识贫乏；见闻不广。

望洋兴叹

　　秋汛的季节到了，无数条溪水汇集于大河之中。河水猛涨，淹没了两岸的许多地方和水中的沙洲，河面变得异常宽阔。看到这种情景，河伯就自我陶醉起来，他认为世界上所有壮丽的景色都集中到自己身上了。他顺着河水向东行，来到北海。当他朝东一望，只见一片辽阔的大海，却看不见水的边际。河伯转过脸来，仰望着海洋，向海神感慨地说："我曾听说有人认为孔子的学问不够渊博，伯夷的大义并非了不起，起初我不相信，现在我亲眼看到您的浩瀚无边，才知道自己往日的见闻实在是浅陋啊。如果我不到您的面前而盲目自大，那就太危险了！那样，我将会永远被那些深明事理的人们所耻笑！"

122

智慧点击

洋：地球表面上被水覆盖的广大地方，占地球面积的十分之七，分为太平洋、大西洋、印度洋、北冰洋。

崇洋媚外：崇拜西方一切，谄媚外国人。指丧失民族自尊心，一味地奉承、巴结外国人。

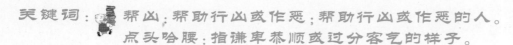

为虎作伥

从前，一只贪心的老虎在森林里寻找食物，它走到一棵大树下隐藏起来，耐心地等待猎物。不一会儿，来了一个砍柴的人，老虎猛然跃出，把这个人咬死

了，但老虎却不准他的灵魂离开。如果要离开，必须再找一个人给它吃，由第二个人的灵魂代替第一个人的灵魂，这个脱离肉体的灵魂就是伥鬼。

伥鬼为了早日离开老虎，他便点头哈腰，心甘情愿地给老虎当帮凶。他积极地为老虎寻找另一个人。伥鬼把另一个人找来以后，还替老虎把那人的衣服脱掉，让老虎吃起来更方便。这批伥鬼就这样一个接一个地为老虎服务着。

智慧点击

魂：宗教和迷信指附在人躯体内起主宰作用的一种非物质的东西，当人死亡时离开人体，但仍能继续独立存在。

魂飞魄散：吓得连魂魄都离开人体飞散了。形容惊恐万分，极端害怕。

一叶障目

古时候，在楚国住着一个穷书生。他不务正业，成天胡思乱想，希望找到一个发家致富的歪门邪道。他虽然读了一些书，但却迂腐得很，连一些起码的常识也不知道，常常闹出很大的笑话。

比如说，螳螂捕蝉之前，为了掌握捕捉的时机，总是要借助树叶来隐蔽自己，以便偷偷观

察蝉的动静。在《淮南子》中，有这样的记载，说谁得到螳螂隐蔽自己的树叶，就可以用这片树叶把自己隐藏起来。当穷书生读到这一段时，竟信以为真，他想入非非，到处去寻找这种可以隐身的树叶。他找来找去，好不容易发现了一片螳螂用以隐蔽的树叶，便站在树下抬头去摘，谁知不小心，这片树叶竟掉到了地上，和原先掉在地上的许多树叶混在一起，难以区分。于是，他就把掉在地上的树叶都扫起来，用筐子装着，高高兴兴地回家去了。

　　他的妻子看惯了他愁眉苦脸的样子，这一天见他这样高兴地回来，很是奇怪，问道："你遇上什么喜事了？"他顾不上回答，从筐子里拿出一片树叶来遮住自己的眼睛，然后问他妻子："你看得见我吗？"妻子被他弄得莫名其妙，又不敢多问，只好如实回答："看得见！"就这样，他试了一片又一片，妻子都回答："看得见。"穷书生并不死心，仍然一片一片地试。时间一长，他妻子被他搞得很不耐烦，当他又拿起一片树叶问她时，她就骗他说："看不见！"书生听了心中暗暗高兴，便小心翼翼地把树叶收藏好。

　　一天，他带着这片树叶到市场去，当着人家的面就拿人家的东西，结

果当场被抓住,押送到县衙去。县官听说在他的管辖之内竟然有人在光天化日之下偷拿他人的东西,非常生气,立即升堂审问。书生便把事情的经过,原原本本地说了出来,并从怀里掏出那片树叶,像捧着无价之宝似的,恭恭敬敬地送到县官面前。堂上的人听了他的话,看到他的神态,差点儿把肚皮笑破了。县官好不容易喘过气来,说道:"你这个书呆子,真是一叶障目,不见泰山!"然后,把他狠狠地教训了一顿,才放他回家。

智慧点击

官:在政府机关或军队中担任一定级别的公职人员。

达官贵人:指地位高的大官和出身侯门、声势显赫的人。

关键词： 默默无闻：无声无息，没人知道，指没有什么名声。
隐士：隐居山野不愿做官的人。

一鸣惊人

楚庄王是春秋五位霸主之一，然而他在继位之初的三年之中，却是默默无闻，整天沉湎于声色之中。有一天，右司马在宫中陪楚庄王坐着聊天，他为了劝说楚庄王，对楚庄王说了一个隐语："大王啊，从前，有一只鸟停歇在南方的山上，已经过了三年，它既不展翅腾飞，又不引吭高鸣。请问，这是什么缘故呢？"楚庄王笑着回答说："三年不展翅，是为了让羽翼长得更丰满些，三年不鸣叫，是为了细心观察民情事理。这样的鸟，虽然不飞，一飞必定直冲云天；虽然不鸣，一鸣就要让人吃惊。放心吧，你的意思我都知道了。"果然，半年之后，楚庄王就开始

亲自处理国家政事，他废止了十项陈章旧法，起用了六位贤德的隐士。从此，楚国大治。

智慧点击

翼：翅膀或像翅膀一样的东西。

如虎添翼：好像老虎长上了翅膀。比喻强有力的，得到帮助后变得更加强有力。

图书在版编目(CIP)数据

与经典同行系列. 中国寓言故事 / 崔钟雷主编. --
哈尔滨：黑龙江美术出版社，2011.3
ISBN 978-7-5318-2866-2

Ⅰ. ①与… Ⅱ. ①崔… Ⅲ. ①儿童文学—寓言—作品
集—中国 Ⅳ. ①Z228.1②I287.7

中国版本图书馆 CIP 数据核字（2011）第 037670 号

书　　名 / 与经典同行系列　中国寓言故事
- -
主　　编 / 崔钟雷
策　　划 / 钟　雷
副 主 编 / 王丽萍　苏　林　张　平
责任编辑 / 林洪海
装帧设计 / 稻草人工作室
出版发行 / 黑龙江美术出版社
地　　址 / 哈尔滨市道里区安定街 225 号
邮政编码 / 150016
发行电话 / (0451) 84270514
网　　址 / www.heimei001.com
经　　销 / 全国新华书店
印　　刷 / 北京阳光彩色印刷有限公司
开　　本 / 889mm×1194mm　1/24
印　　张 / 5.5
字　　数 / 100 千字
版　　次 / 2011 年 4 月第 1 版
印　　次 / 2012 年 3 月第 2 次印刷
书　　号 / ISBN 978-7-5318-2866-2
定　　价 / 19.90 元